À Emma, qui nous a accompagnés dans cette mortelle aventure
et qui va nous manquer ! Et à Charlotte et Florence, qui rejoignent
le Club des Bizarres ! Un merci tout particulier à nos lecteurs et lectrices
qui ne cessent de partager leur enthousiasme (et leurs bêtises) avec nous !

Retrouve Adèle sur www.mortelleadele.com

Idée originale et scénario : Mr Tan
Dessins : Diane Le Feyer
d'après les illustrations et l'univers graphique de Miss Prickly
Couleurs : Laurence Croix
Créateur de l'univers original de Mortelle Adèle : Antoine Dole

Conforme à la loi n° 49.956 du 16 juillet 1949
sur les publications destinées à la jeunesse.
Dépôt légal : mai 2018
tirage : 08.20
ISBN : 979-1-02760-436-4
Imprimé en France par Pollina en août 2020 - 94320

mortelle ADÈLE

Mr Tan
Diane Le Feyer

Prout
atomique

GLOBULLE

AJAX

Quand mes parents m'ont offert Ajax, je pensais que c'était un bébé lion. Depuis que j'ai découvert que ce n'est qu'un simple chaton, je suis bien décidée à faire ce qu'il faut pour m'en débarrasser!

GEOFFROY

S'il y avait un roi des andouilles, ce serait sûrement Geoffroy. Toujours à me courir après en voulant me tenir la main et porter mon cartable. Il dit qu'il est amoureux de moi et qu'il veut me donner son cœur. Je ne suis pas contre, mais dès que je sors mon bistouri, il s'enfuit en courant!

MAMIE

Mamie, c'est une sorcière. Une vraie, je veux dire. Elle croit que je ne le sais pas... mais j'ai entendu Papa dire à Maman une fois: «Mais quelle sorcière, ta mère!» Depuis, je mène l'enquête...

MAGNUS

Magnus est mon super ami imaginaire, d'ailleurs il m'a promis que si un jour je meurs, il me prendra comme amie imaginaire à mon tour, pour qu'on soit toujours ensemble. Il n'a peur de rien, à part des DVD que m'offre ma grand-mère...

PAPA et MAMAN

Leurs hobbies préférés? Me faire ranger ma chambre, me faire manger des légumes, me faire faire mes devoirs, me dire d'aller au lit... De véritables tortionnaires! Moi, mon jeu préféré, c'est de les faire tourner en bourrique. Je suis sûre qu'ils s'ennuieraient sans moi!

JADE et MIRANDA

Si un navet et une courge prenaient forme humaine,
ils ressembleraient sûrement à Jade et Miranda.
Ces deux pestes sont dans mon école et passent
leur temps à se prendre pour des top models!
Elles ont fondé le club des Barbie Malibu
et ne font que parler de mode et de chanteurs
à mèche. Au secooooours!!!

FIZZ

Vous avez déjà vu un bébé grizzli aussi petit? Je n'ai vraiment
pas de chance... Je suis certaine que Fizz atteindra deux mètres
de haut d'ici quelques années. Et alors là, tous ceux qui me
répètent que ce n'est qu'un hamster feront moins les malins.
Le problème de Fizz, c'est qu'il est hyperactif, impossible
de le faire tenir en place plus d'une seconde.

MON ONCLE (et SON AMOUREUX!)

J'ai l'oncle le plus cool de la Terre! Il aime les jeux vidéo,
le fast-food et les figurines de super-héros. Et comme Jérôme,
son amoureux, est un peu comme lui, j'ai doublement
de la chance : deux super tontons pour le prix d'un!

JENNYFER

Vous pensiez que j'étais un peu fofolle, mais il y a pire que moi :
Jennyfer! Elle est persuadée qu'on est les meilleures amies
de l'univers et ne me lâche plus d'une semelle...
Non mais, elle croit aux miracles celle-là ou quoi ?!

Bonne résolution

Bon, tu vas être sage aujourd'hui ?

Écoute, hier j'ai pris une décision...

Je me suis dit : « Carlita, maintenant tu es grande, fini les bêtises ! »

Parfait !

Mais attends...

Tu ne t'appelles pas Carlita...

Et ouaaais ! Ça va être une journée Mortelle !

Parents gagas

Premiers mots

Ronrons

Oh, c'est trop mignon... Tu entends comme Ajax ronronne ?

C'est parce qu'il est heureux !

T'es sûre ?

Oui, la machine à ronrons se déclenche quand les chats se sentent bien !

Manquait plus que ça...

Comment on retire les piles de ce truc ?

Y a pas un bouton OFF ?

Bloodymary

Tu es sûre de toi ?

Mais oui, sur internet ils disent qu'il suffit de dire trois fois Bloodymary devant le miroir pour qu'un monstre apparaisse...

Bloodymary...

Bloodymaaaary...

BLOODYMAAAAARY !

Non mais tu as vu l'heure ?!

Tu vois que ça marche !

Impressionnant...

11

30 millions d'amis

Prout atomique

Au menu ce soir...

Légumophobie

Danse avec Maman

Sainte Adèle, priez pour nous !

Garçon manqué ?

Tu es un vrai garçon manqué !

Un garçon manqué ?

Je sais bricoler des inventions dingues...

Je peux te raconter des histoires qui t'empêcheraient de dormir !

Je suis capable de dresser un alligator !

Et je peux faire douze bêtises par seconde !

Et tout ça sans défaire mes couettes !

Ah oui, et t'es quoi alors, si t'es pas un garçon manqué ?

Bah... Une fille tout ce qu'il y a de plus réussie !

Jolie poupée

Don de voyance

Tu es sûre de voir l'avenir dans ce truc ?

Certaine !

Et là, tu vois quoi ?

Mhmm... Je vois une chute. Ça va faire très mal à la personne... Je vois aussi des hurlements...

Un accident. Oui, un terrible accident !

Bah dis donc... Et quand ?

C'est... C'est imminent !

21

Chaton mignon

Cours, Ajax, cours !

Nouveau look

Menace ultime

Amour vache

C'est quoi cette tête ?

Je suis un peu triste...

Tu es tout le temps avec Jennyfer ou Gontran...

J'ai l'impression que tu ne m'aimes pas beaucoup par rapport aux autres...

Détrompe-toi !

Je n'aime aucun de vous, il y a assez de haine dans mon cœur pour tout le monde !

Je ne t'aime pas, mais autant que tous les autres !

Je crois que c'est la chose la plus gentille que tu m'aies dite...

Tant que ça fait plaisir !

Cœur brisé

Charisme débordant

Dompteuse de chat

Cauchemars

La solution du siècle

Rose bonbon

Jardinage

Ma mère dit que les filles naissent dans les fleurs !

Oh oui ! Et les garçons dans les choux !

Et toi, t'es née dans quoi ?

Tout s'explique !

Moi ? Dans un chou-fleur !

VLAMMM

Question de survie

Mais quelle andouille...

Tu t'imagines coincée sur une île déserte avec elle ??

Oh oui, sans problème... ce serait même plutôt pratique pour les repas !

Pourquoi, elle cuisine ?

Oh non... Mais je n'aurais aucun scrupule à la manger !

Première rencontre

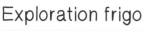
Exploration frigo

Bonjour à tous, et bienvenue dans mon émission YouTube « Les expériences interdites » !

Aujourd'hui, je vais tenter de répondre à la question suivante :

« Est-ce que la petite lumière du frigo reste allumée quand on ferme la porte ? »

Et c'est une expérience qui a nécessité beaucoup de préparation !

Voilà deux jours que Geoffroy est sur le terrain pour nous livrer ses observations !

Geoffroy, tu m'entends ?

Geoffroy ?

Oups...

Bien, nous allons directement passer à la deuxième question du jour ! Combien de temps une ambulance met-elle à arriver ?

SAMU J'écoute ?

Cœur dégonflé

Halloween

Question de point de vue

Un air de famille

Chavalanche

Surnom assommant

La petite Adèle est attendue par ses parents

Papa stylé

Ta mère m'a invité à dîner, tu m'aides à choisir ma tenue ?

Si tu veux...

Alors, entre 1 et 10, quelle note tu mets à ce costume ?

Mhmm...

Tu sais, ce serait plus simple si on commençait les notes à partir de zéro.

Ou si on pouvait mettre des notes en dessous de zéro...

Maman lookée

Nouveaux amis

Bon, Manon, Éléonore, Garance, Lilou, Lucie, Anaïs, Maewenn, Nathan et Mona...

... Vous avez été retenus pour le poste de nouveau meilleu ami qui sera bientôt disponible...

Le premier qui me débarrasse de Jennyfer décroche le job !

Coucou Adèle !

Ah...

Oops...

Hihihi !

Hello !

Encore ce rêve ?

Coucou !

C'était horrible, je...

AAAAAAH !!!!

Moustachat

Nos amis les chats

Repas équilibré

Devoirs à la maison

Intelligence artificielle

Recherche animal méchant

53

Biberon de paillettes

Adèle refuse de manger en ce moment...

Oh, fais comme moi, mixe-lui des choses qu'elle adore !

Tu lui prépares quoi, toi ?

Des biberons de paillettes ! Elle en raffole !

Mais... Tu es sûre que c'est bon pour Jade ?

Je veux dire, pour se développer le cerveau d'un enfant a besoin de plein de...

Et donc, d'après moi, tout viendrait de là...

Menu de goût

Bien secouer avant d'ouvrir

Rêve d'évasion

À table !

Tu as pensé à nourrir Lavernia, aujourd'hui ?

Zut, j'ai oublié...

On a qu'à commander et se faire livrer !

Oui, bonne idée !

Je prends une ou deux portions ?

Deux, elle a l'air d'avoir faim !

Bienvenue !

Pourquoi tu nous as dit de venir ?

On devrait choisir des repas plus équilibrés ! Leur teneur en paillettes est un peu trop élevée !

L'œuf ou la poule ?

Bonjour à tous, et bienvenue dans mon émission YouTube « Les expériences interdites » !

Aujourd'hui, je vais tenter de répondre à la question suivante :

« Qui est arrivé en premier, l'œuf ou la poule ? »

Bon, n'ayant pas trouvé de poule, j'ai pris ce qui y ressemblait le plus dans mon entourage...

Merci d'accueillir Jade !

Bonjour à tous mes fans !

Et comme Maman a utilisé les derniers œufs hier soir pour le dîner, Miranda jouera le rôle de l'œuf !

Je vais être célèbre ?

Bon alors : je vous ai appelées en même temps, laquelle a sonné en premier à ma porte ?

C'était moi !

Oui, j'ai mis du temps à choisir ma tenue...

Mes conclusions sont indiscutables, c'est la poule qui est arrivée en premier !

J'ai gagné quelque chose ?

Quelqu'un veut un autographe ?

Étoile Fizzante

Colis surprise

Il est arrivé ! Il est arrivé !

Quoi donc ?

Le lance-roquettes que j'ai commandé sur internet !

Hahahahah !

Tremblez devant ma puissance !

Hum... tu devrais mieux lire les annonces...

... c'est un lance-croquettes, ça !

PTOÏNG

Talent d'artiste

Prout parfumé

Tiens, ça sent la violette...

Je dirais plutôt la rose... Ou la cerise...

Oh, mais... C'est Jade qui a fait popo !

Tu es une vraie petite princesse, toi ! Même tes popos sentent la fleur !

Ah, je crois qu'Adèle aussi va...

On va devoir fermer quelques jours...

La crèche a été placée en alerte rouge !

PROUT

GNNNNN

PSHTT

Joyeux Noël !

Bébé difficile

Cadeau utile

Cachette parfaite

Bienvenue à la maison !

Cœur enflammé

Visite de routine

Copines de jeux

Leçon de géo

L'invention de l'école

Super soirée

Atelier créatif

Je ne comprends pas pourquoi on vous oblige à faire ça..

Pour « embellir la cour de récréation »... Tu parles !

Regarde un peu ça...

Berk !

Oh là là, mais ils ont de la purée dans la tête, ou quoi ?!

Ça fait peur, hein ?

Retrouve toutes les bêtises d'Adèle dans des BD trop *mortelles* !

T1 · T2 · T3 · T4 · T5

T6 · T7 · T8 · T9 · T10

T11 · T12 · T13 · T14 · T15

Et découvre les aventures de son fidèle compagnon !

T1 · T2 · T3